すずき出版

はじめに

ルールって何？

すもうなら、土ひょうから足が出たら負けというのがルールだし、バレーボールなら、ボールを床に落としちゃダメというのがルールだってことは、みんなも知っているでしょう？ スポーツだけじゃないですね。赤信号ではとまれ、青信号なら進めという交通のルールもあります。そのほか、たくさんの人がいっしょにくらす場面ではさまざまなルールが決まっています。

ルールでたいせつなことは、みんながなっとくできるものであるということ。だれでも例外なく、平等に守るべきものだからです。なっとくできないときは、どうしてそのルールが決められるようになったのか、よく考えてみましょう。考えてもわからないときは、おとなに聞いてみるといいですね。

ルールを守るということは、自分を守り、まわりの人を守るということです。交通ルールを守って歩行者が赤信号でとまるのは、車から身を守るためでしょう？ それと同じことです。でも、道路には信号があるけれど、生活の中では、はっきり見える信号のない場合も多いですね。そんなときには、心の中に自分なりの信号（ルール）を持つことがたいせつです。この本を読んで、ルールについて考え、自分の信号を持つようになってくれたらうれしいです。

10歳からのルールを考える会

ルル田ファミリー

ヤマト ナナミ 母ちゃん 父ちゃん ルルばあちゃん

もくじ

パート1
家族のルール

こんなときどうする？……5
父ちゃんの手帳を見つけたけど…
クイズ **何がいけないかな？ クイズ**……6
こんなことしてない？……9
むちゅうになっちゃった
こんなときどうする？……10
電話がかかってきたら…
ドアホンが鳴ったら…
もしこんなことをしたら………12
あんな父ちゃん初(はじ)めて見たから…
こんなときどうする？……13
もしも大きな災害(さいがい)が起きたら…
こんなことしてない？……14
めんどうくさいよ
楽しみにしてたのに…
これを買ったらなくなっちゃうけど…
新しいのがほしいの
こんなことしてない？……18
置(お)きっぱなし星人・ぬぎっぱなし星人・
あけっぱなし星人・よごしっぱなし星人
こんなことしてない？……21
夜ふかししちゃった
食べ切れないんだもん
ねむくなっちゃった
わが家のルールを作ろう！……24

パート2
SNS(エスエヌエス)・メール・インターネットのルール

こんなことしてない？……27
食事中だけど
こんなときどうする？……28
知らない人からメールがきたら…
よくわからないメールがきたら…
もしこんなことをしたら………30
Wi-Fi(ワイファイ)があるぞ！
こんなときどうする？……31
姉ちゃんのスマホにメッセージがきたから…
安いゲームソフトを見つけたから…
もしこんなことをしたら………33
アクセサリーがほしい
アイテムがほしい
こんなときどうする？……35
無料(むりょう)のアプリはオッケー？
ID(アイディー)とパスワードをわすれた！
ネットで知り合った人と会いたい
家族で考えてみよう！……38
いちばん知ってほしいルール……39

パート1

家族のルール

アナタの家族はどんな家族かな？
家族のルールって考えたことある？
イチゴ町のみんなやルル田ファミリーの生活を見ながら、
家族のルールについて考えてみよう！

こんなときどうする?

父ちゃんの手帳を見つけたけど…

すぐしまったから、父ちゃんの手帳をのぞいてたのバレてないよなぁ…。

ヤマトくん

お父さんはどう思ったかな?

手帳見てただろ! 父ちゃんにだってプライバシーがあるんだぞ!

父ちゃん

ガーン! 父ちゃんに怒られちゃった…。

ヤマトくん

ルルばあちゃんに聞いてみよう

勝手にいじったらダメ

いくら家族でも、していいことと悪いことがあるんだ。いっしょに仲よくくらしていくためには、おたがいのプライバシーをそんちょうしなくちゃダメ! 自分のノートを勝手にいじられたり、見られたりしたら、いやだろう? きょうだいや親にもそういうことをしてはダメだよ。

ごめんなさい ボクのメモ帳も 見ていいよ

オマエのメモ帳なんか 見たくなーい!!

ルール 69　きょうだいや親の物を勝手にいじらない

※この本は、ルール69からスタートです。

何がいけないかな？クイズ

ある日、ヤマトくんはお父さんとお母さんにしかられたよ。
何がいけなかったのか、わかるかな？

なんでしかられたのかわかるだろ？

よくしてしまうようなことばかりだ。気をつけなさい。

アナタも家族の一員なんだから、家に来たお客さんにはあいさつしなさい。にっこり元気にあいさつしたら、あとは自分の部屋に入っても、外に遊びに行ってもかまわないから。

ルール 70 家に来たお客さんにはあいさつをする

アナタのためにボタンをつけてくれたんだから、お母さんに「ありがとう」とお礼をいいなさい。親だったらなんでもしてくれてあたりまえと思っていないか？ 家族どうしでも、何かしてもらったら、感謝の気持ちをことばにして伝えるべし。お母さんもきっとよろこぶよ。

ルール 71 家族でも、何かしてもらったらお礼をいう

わざとじゃなくても、まちがったり、失敗しちゃったときは、正直に「ごめんなさい」とあやまりなさい。家族だからって、あまえてはダメ！ ごまかしたり、かくしたりするのは、ひきょうでかっこわるいことだよ。

ルール 72 家族でも、まちがったときはあやまる

朝起きたら、まず「おはよう！」でしょ？ 一日の始まりには、きちんとあいさつをしなさい。「行ってきます」、「ただいま」、「おやすみなさい」って、アナタはいっているかな？ あいさつは人間関係のきほん中のきほん。家族は毎日会う人なんだから、あいさつもしっかりしなさい。

ルール 73 家族でもあいさつをする

どこに遊びに行って、何時に帰ってくるのか、家の人に伝えてから出かけなさい。アナタの帰りが遅くなったとき、行き先もわからなかったら、家の人がどんなに心配するか、ちょっと考えたらわかるだろう？

ルール 74 出かけるときは、行き先と帰る時間を伝える

こんなことしてない？

むちゅうになっちゃった

アニメ見てたら遅くなっちゃった〜。

お母さんはどう思ったかな？

連絡もなく遅いから、心配したのよ！

母ちゃん

時間に気づかなかったよ…。ごめんなさーい。

ヤマトくん

ルルばあちゃんに聞いてみよう

遅くなるときは連絡する

帰りが予定よりも遅くなりそうなときは、かならず連絡をしなさい。遊びにむちゅうになって遅くなってしまったら、気づいたときにすぐ電話やメールをするべし。帰る時間をすぎてもアナタから連絡がなければ、家族が心配するに決まっているだろう？

ルール 75　帰りが予定より遅くなりそうなときは連絡する

こんなときどうする？

電話がかかってきたら…

はい、もしもし！ 母は出かけてます
コイケさんですか？
はい、いつもはいるんですけど、
ばあちゃんと出かけてて…
父は大工の仕事に行ってます…はい、
中2の姉がいます

母はダイエットしてるから、
あまいものはダメなんです…はい、
姉はテストが悪かったから、
もっと勉強したほうがいいと思います
…ボク？ ボクは勉強より
サッカーが好きです…

ただいま〜
母ちゃん、さっき
コイケさんから
電話があったよ〜
コイケさん？
だれかしら
知らないわ
え…!?

お姉ちゃんはどう思ったかな

知らない人にウチのことをべらべらしゃべっちゃダメでしょ！ その人が悪い人で、ウチのことを調べてるのかもしれないじゃん。

ええっ！ マジか!?
姉ちゃんのことも
しゃべっちゃった〜！

ヤマトくん

ルルばあちゃんに聞いてみよう

知らない人に家族のことを話さない

もし留守番中に自分の知らない人から電話がかかってきたら、「家の人が帰ってきたらかけ直すので、電話番号と名前を教えてください」というんだよ。家族や家のことをあれこれ相手が聞いても、答えちゃダメ！ しつこく聞いてきたら、電話を切りなさい。

ルール76　知らない人からの電話で、家族の情報を話さない

ドアホンが鳴ったら…

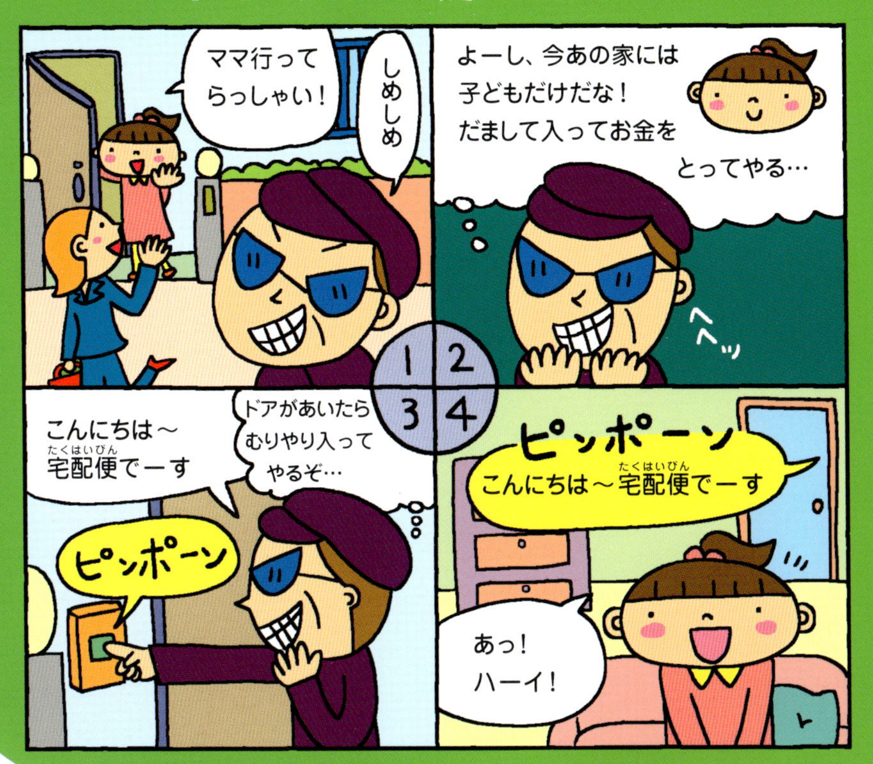

おじいさんはどう思ったかな？

ルルばあちゃんに聞いてみよう

まずは声と顔を確認して

ドアをかんたんにあけちゃダメだよ。まずはドアホンで「どなたですか？」と聞いて、知らない人ならドアをあけずに用件を聞きなさい。知っている人や宅配便だったら、ドアののぞきあなから顔やユニホームを確認してからドアをあけよう。不安だったら、留守番のときは出なくてもいいから。

ルール 77 ドアホンが鳴っても、すぐにドアをあけない

もしこんなことをしたら…

あんな父ちゃん初めて見たから…

あんな父ちゃん初めて見たから、おもしろがって友だちにしゃべっちゃった…。

家族はどう思ったかな

家のことを外でいいふらさないでよ！はずかしいでしょ？

ヤマト〜、おまえのひみつもばらしてやるからなー！

ルルばあちゃんに聞いてみよう

家の中ではくつろぎたい

家の中ではだれだって気をぬくだろう？ 家族の前なら外でしているみたいにかっこつけたり、よそゆきの顔をする必要もないし、たまにはふざけることもあるかもしれないね。でもそれは、家族の中だけのひみつだよ。アナタだって、ドジったりしたはずかしいことを、外で話されたくないだろう？

ルール78 家族の中でのことを外でいいふらさない

こんなときどうする？

もしも大きな災害が起きたら…

アナタの家では、大きな災害が起きたときにどうするか、話し合ったことはある？すぐには家に帰れないとき、とりあえずどこに行くのか、どうやってそれぞれの状況をたしかめるのか、家族で話し合って決めておくべし。そうしておけば、何かあったときでもパニックにならずに行動できるよ。

ルール79　緊急時の避難先と連絡方法を決めておく

こんなことしてない？

めんどうくさいよ

家族はどう思ったかな

ルルばあちゃんに聞いてみよう

家族の役に立とう

アナタも家族の一員なんだから、家族がいそがしいときは、買い物や食事の用意を手伝いなさい。家族の役に立つことをしたら、きっとよろこばれるはずだよ。いわれてやるから、めんどうくさいと感じちゃうんだ。自分から手伝いを買って出てごらん。家族の一員として頼りにされて、最高にいい気分になれるよ。

ルール 80 家の手伝いをする

楽しみにしてたのに…

お母さんはどう思ったかな？

お父ちゃんが調子悪いときは、かんべんしてあげてね。

父ちゃんでもヨロヨロになることなんて、あるんだね。

ルルばあちゃんに聞いてみよう

おとなだってつかれるの

おとなだってつかれるし、調子が悪いこともあるんだよ。悲しくて泣くこともあるし、落ちこむことだってある。子どもと同じなんだよ。そういうときは、やさしいことばをかけてあげよう。家族なんだから、おたがいに思いやりを持ってくらしたいね。

ルール81 おたがいに思いやりを持ってくらす

こんなことしてない？

これを買ったらなくなっちゃうけど…

ダイキくんのお母さんはどう思ったかな？

ダイキったら、無計画なんだから。マンガ買いたいっていってもあげないわよ。

そんなぁ～。お母さん、ちょっとだけ前借りさせてよ～。

ルルばあちゃんに聞いてみよう

お金にだらしなくならないで

ほしい物はたくさんあるよね。でも、おこづかいにはかぎりがある。だから、何がいちばんほしいのか順位をつけるべし。もし、使い切ってしまったら、あとはがまんしなさい。前借りなんて、あまえるんじゃないよ！

ルール82 おこづかいは計画的に使う

新しいのがほしいの

みんながこんなことしたらどうなるかな

ルルばあちゃんに聞いてみよう

使える物はすててはダメ

すべての物は、かぎりある地球の資源から作られているんだよ。「あきたらすてる」をくり返していたら、資源はどんどんなくなってしまう。使い切っていないのに次つぎと買うのは、資源のむだづかいになるからやめなさい。身のまわりの物をむだづかいしていないか、家族で話し合ってみよう。

ルール 83 物をたいせつにする

こんなこと

やりっぱなし星人がたくさんいるよ。見つけてみよう。

してない？

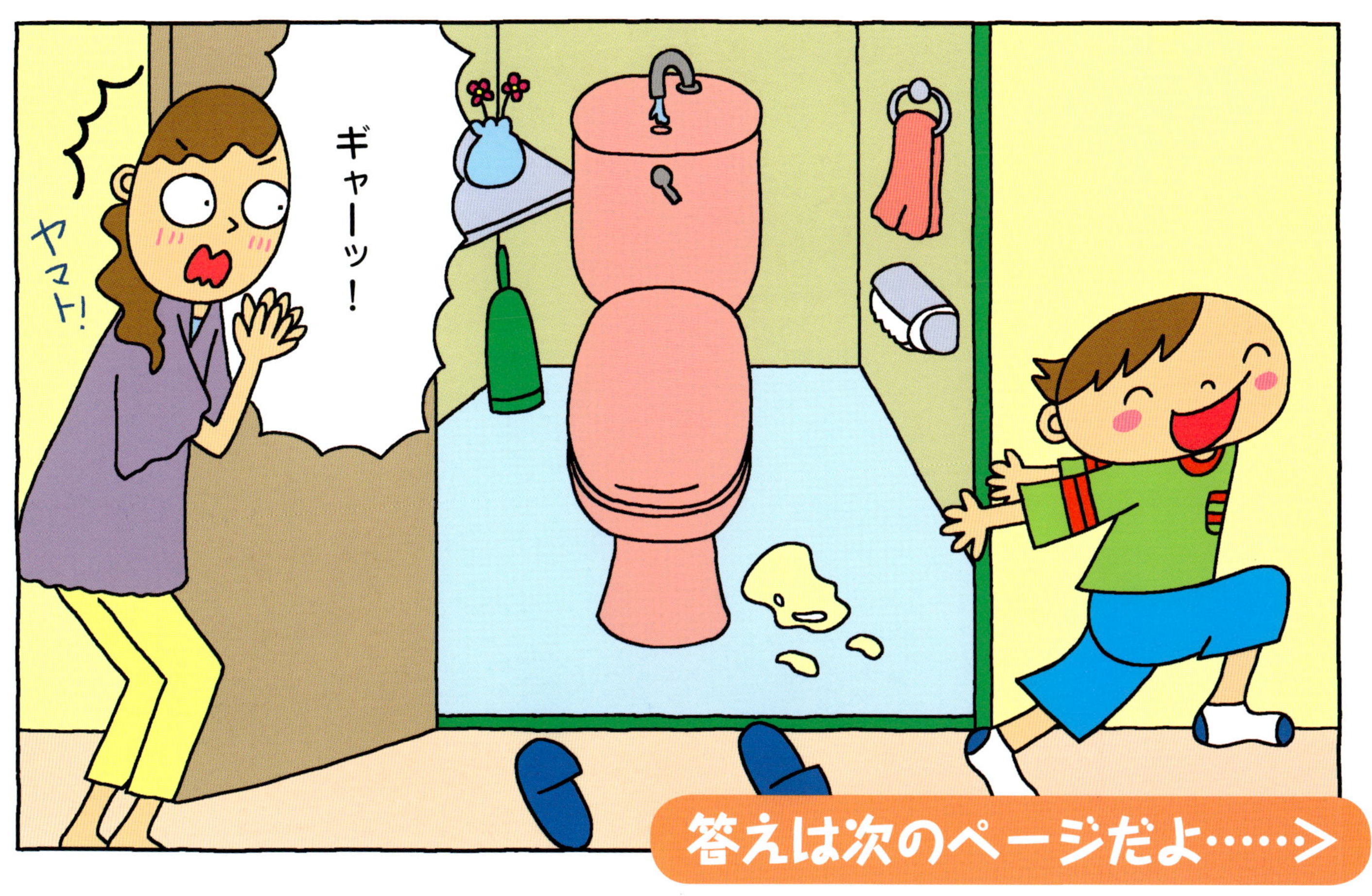

答えは次のページだよ……>

アナタもこんな星人になっていないかな？

「置きっぱなし星人」はだらしない

自分の部屋やつくえの上は、できるだけかたづけて、整理整頓しなさい。きちんと整理しておけば、必要なときにどこにあるかすぐわかるから。自分の部屋があるのは、まかせてもだいじょうぶだと家族に信頼されているからなんだよ。信頼にこたえて、自分で管理しなさい。

「ぬぎっぱなし星人」ははずかしい

くつをぬいだら、きちんとそろえる。これはじょうしきだよ。ぬぎっぱなしでめちゃくちゃになっていたら、たずねてきた人にだらしない家族と思われてはずかしいだろう？ 自分の家だけでなく、よその家に遊びに行ったときも、もちろんそうしなさい。

「あけっぱなし星人」は大迷惑

冷蔵庫から物を出したら、きちんととびらや引き出しをしめなさい。しめたつもりでも、ちゃんとしまっていないこともあるから、しっかり確認しよう。とびらや引き出しがしまっていないと、中に入っている物がいたんでしまって大迷惑だよ。

「よごしっぱなし星人」はきらわれる

トイレは家族みんなが使う場所。いつもきれいにして、ほかの人が気持ちよく使えるようにするべし。もし、おしっこで床をよごしてしまったら、トイレットペーパーできれいにふきなさい。そのままにするなんて許されないよ！

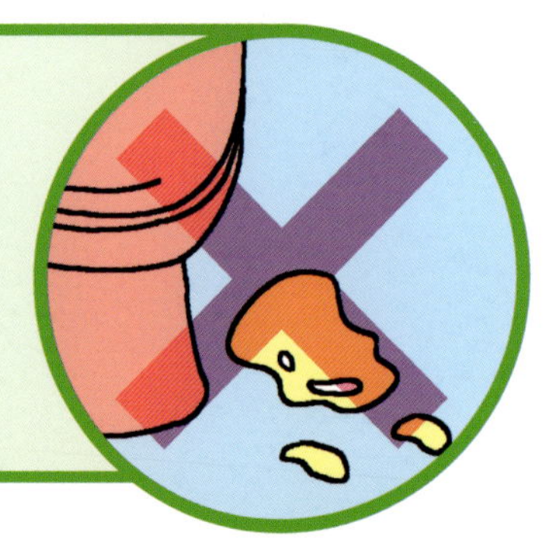

ルール 84　やりっぱなしにしない

こんなことしてない？

夜ふかししちゃった

お母さんはどう思ったかな？

あんなに夜ふかししてたから、起きらんないのよ！

あ〜、朝ごはん食べたかった〜。

ルルばあちゃんに聞いてみよう

夜ふかしせずに早く寝る

夜早く寝て、朝早起きすることは、子どもの生活のきほんだよ！これが乱れると、ぜんぶが乱れてくるんだ。早く起きれば、朝ごはんもゆっくり食べられるし、うんちもすませられるし、学校に早くついて、友だちとおしゃべりだってできるだろう？

ルール 85 早寝早起きをする

こんなことしてない？

食べ切れないんだもん

ごはんの前におかし食べちゃったから、食べ切れなかったよ。

家族はどう思ったかな？

ルルばあちゃんに聞いてみよう

食べ物にも感謝の気持ちを持つ

「いただきます」や「ごちそうさま」は、食事のあいさつだけではないんだよ。みんなが毎日ごはんを食べられるのは、農家の人や漁師の人、食材を運んでくれる人や料理を作ってくれる人のおかげでしょ？ そして、何より食べ物に感謝の気持ちを持ってほしい。人間はたくさんの命をいただいて生きているんだから、食べ物にきちんと感謝をしなさい。

ルール86 感謝して「いただきます」「ごちそうさま」をいう

ねむくなっちゃった

家族はどう思ったかな？

ルルばあちゃんに聞いてみよう

明日の準備は前の日に

出かけるときになって「あれがない」「これがない」ってさがしまわって、朝からあわただしいねえ。夜のうちにしたくをしておきなさい。準備が終わっていたら、安心してぐっすりねむれるし、朝はゆっくりごはんが食べられるし、いいことずくめだよ。

ルール87 寝る前に明日の準備をする

わが家のルールを作ろう！

アナタの家では、何かルールを作っているかな？
くらしのルールって、家族によっていろいろな考え方があるだろう？
家の人と話し合って、わが家のルールを作ってみよう。

わが家のルール

1. 食事のときはテレビを消して、みんなでその日のできごとを報告し合う。
2. お茶をいれるときは、みんなのぶんもいれる。
3. 家族で何かをするときは、協力し合う。

家族みんなで仲よくくらすためのルールを考えてみるんだよ。
それぞれの家によって事情や環境がちがうのだから、
自分の家に必要なルールを作るといいね。

パート2

SNS・メール・インターネットのルール

ケータイやスマホは、親が買ってアナタに貸している物なんだよ。
信用しているからまかせているんだ。そのことをわすれていないかな？
世界とつながる道具を管理するアナタの責任は重大。家族で使い方を考えてみよう！

※SNSとは、ソーシャル・ネットワーキング・サービスの略です。コミュニケーションを電子化するサービスのことで、Facebookや Twitter、LINEのSNS機能などが知られています。

こんなことしてない？

食事中だけど

だって、食事中でもいつでも、スマホが気になっちゃうんだもん。

家族はどう思ったかな？

姉ちゃんがやってるならボクもやっていいよね！

みんなで楽しくおしゃべりしてるのに、ひとりだけ別の世界にいるみたいよ。

ルルばあちゃんに聞いてみよう

食事や勉強に集中しなさい

何かをやっているときでもケータイやスマホに通知がくると気になってしまうかもしれない。でも緊急のとき以外は、そんなにいそいで確認する必要はないだろう？ 勉強をしているときや食事をしているときくらいは、ケータイやスマホのことをわすれなさい。

ルール 88 勉強中、食事中はケータイ・スマホをいじらない

こんなときどうする？

知らない人からメールがきたら…

家族はどう思ったかな？

ルルばあちゃんに聞いてみよう

知らない人には返事をしない

まったく知らない人からのメールやメッセージは無視(むし)するのがいちばん！世の中には、メールやメッセージを使ってお金をだましとろうとしたり、何かを売りつけようとする悪い人たちもいるからね。みんな気をつけて！

ルール89 まったく知らない人からのメール・メッセージは無視(むし)する

よくわからないメールがきたら…

家族はどう思ったかな

きっと友だちだよ！ 早く返事をしたほうがいいと思う。

どこの友だちかわからないときは、すぐに返事をしないで！

ルルばあちゃんに聞いてみよう

思い出せない人は友だちじゃないかも

よくわからない人からメールやメッセージが届いたら、まずは親に相談してみて！ 見たことのないアドレスからのメールやメッセージは要注意。開くだけでウイルスに感染してしまうこともあるからね。開く前に、親に確認してもらいなさい。

ルール90　よくわからない人からのメール・メッセージは親に相談する

もしこんなことをしたら…

Wi-Fiがあるぞ！

通信すると、いろいろなやり方で遊べるようになるんだ。

家族はどう思ったかな

ゲーム機ならネットに接続しても安全なんじゃないか？

ネットに接続した時点で、なんかあぶない気がする…。

ルルばあちゃんに聞いてみよう

公衆無線LANは要注意！

ゲーム機や音楽プレーヤーを勝手にネットに接続しちゃダメだよ！ ネットを経由して、知らない人からいきなりメッセージがくることもあるよ。無料の公衆無線LANの中にはセキュリティーが弱いものもあって、通信内容を盗み見られることがあるので注意すべし。

ルール91 ゲーム機や音楽プレーヤーを勝手にインターネットに接続しない

こんなときどうする？

姉ちゃんのスマホにメッセージがきたから…

家族はどう思ったかな？

勝手に見られたら、だれだっていやな気持ちになるでしょ。

母ちゃん

ルルばあちゃんに聞いてみよう

家族にもプライバシーがある

家族でも、ケータイやスマホや手紙を見られるのはいやだろう？ いくらいっしょに住んでいても、おたがいのプライバシーは守らないと。勝手に引き出しをあけたり、日記を見たりするのもダメ！

ルール 92 家族でもケータイ・スマホや手紙を勝手に見ない

こんなときどうする？

安いゲームソフトを見つけたから…

高いものを買うわけじゃないのに、親の許可がいるのかな？

家族はどう思ったかな

自分のおこづかいならいいんじゃない？

ナナミちゃん

ネットでお金を使うと、危険なこともあるらしいぞ！

よくわからんが…

父ちゃん

ルルばあちゃんに聞いてみよう

ネットショッピングは お店でする買い物とはちがう

ネットでお金を使うときは、名前や住所、電話番号、場合によってはクレジットカードの番号などの入力をもとめられるんだよ。ネットショッピングはお店でする買い物とはちがって、個人情報を明かしてしまうのだから、たとえ少額でも、自分のお金を使う場合でも、親に相談してからにすべし。

そっか、買ったボクの情報が相手に伝わっちゃうよね…気をつけるよ！

ルール93 インターネットでお金を使うときは、親に相談する

もしこんなことをしたら…

アクセサリーがほしい

家族はどう思ったかな？

ルルばあちゃんに聞いてみよう

クレジットカードを勝手に使うのはどろぼうと同じ！

クレジットカードは現金を使わないから、あまり買い物をしている実感がないかもしれないね。たとえ親のクレジットカードでも、勝手に使って代金を払うのは、お金を盗むのと同じ、りっぱな犯罪だよ。ほしい物があるなら、ちゃんと相談しなさい。

ルール 94 親のクレジットカードを勝手に使わない

もしこんなことをしたら…

アイテムがほしい

家族はどう思ったかな？

ルルばあちゃんに聞いてみよう

無料のオンラインゲームでもお金がかかることもある！

オンラインゲームの中には、無料のものと有料のものがある。無料のオンラインゲームでもとくべつなアイテムを買ったり、より早くゲームを進めようとしたりすると、お金を払わないといけないこともあるんだよ。オンラインゲーム内だと、本物のお金を払っている気がしないかもしれないけれど、ぜったいにあとで請求が来るよ。買う前にしっかり親に相談しなさい。

このアイテムがほしいんだ！父ちゃん、お願い　こっちをむいて！

ルール95　オンラインゲーム内で支払いが発生するときは、親に相談する

こんなときどうする？

無料のアプリはオッケー？

家族はどう思ったかな

危険なアプリもあるんじゃない？

母ちゃん

インストールするくらいなら問題ないでしょ。

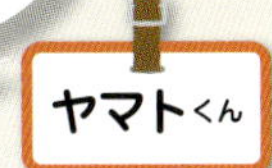

ルルばあちゃんに聞いてみよう

無料アプリにも危険はひそむ

アプリの中には不正なものもあって、知らないうちに個人情報を勝手にぬきとられてしまうこともあるんだよ。スマホにアプリをインストールするときは、無料の場合でも親やくわしい人に確認してもらいなさい。

ルール 96　アプリをインストールするときは親に相談する

こんなときどうする？

IDとパスワードをわすれた！

SNSのアカウントのIDとパスワードがわからなくなっちゃった。どうしよう！

もう使えなくなっちゃうのかな～。

家族はどう思ったかな？

あーあ。かわいそうだけど新しいアカウントにするしかないね。

ナナミちゃん

さすがにIDとパスワードがわからないと、助けられないわ…。

ルルばあちゃんに聞いてみよう

IDとパスワードは親に管理してもらおう

SNSのアカウントのIDとパスワードは親に管理してもらいなさい。せっかく友だちとコミュニケーションをとって楽しんでいるのに、急に使えなくなっちゃうのは悲しいだろう？ もし、何かトラブルがあったときでも、親がIDとパスワードを知っていれば助けてあげられるから安心だよ。

ルール 97　SNSのアカウントの管理は親にしてもらう

ネットで知り合った人と会いたい

会えばもっと仲よくなれる気がする！

家族はどう思ったかな

友だちは多いほうが楽しいし、会っていいんじゃないかな？

ヤマトくん

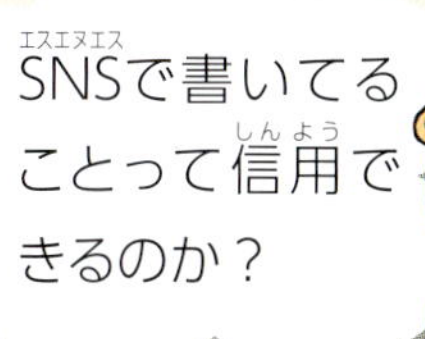

SNSで書いてることって信用できるのか？

父ちゃん

ルルばあちゃんに聞いてみよう

SNSで知り合った人が本人とはかぎらない

最近は、ネットを使って友だちになってから直接会うことも少なくないけれど、もし悪い人だったらどうする？ もしかしたら、年齢・性別・顔などが、SNSにあげていることとちがうかもしれない。まずは親に相談して、安全かどうかじっくり検討すべし。だれにもいわず、ひとりで会うのは危険なのでやめなさい。

お父さん、SNSで友だちになったこの子と会いたいんだけど、いいかな？

どれどれ？

ルール 98　インターネットで知り合った人と会いたいときは、親に相談する

家族で考えてみよう！

ケータイ・スマホ、インターネットのルールについて、家族で話し合ってみよう。

ルール 99 インターネットや無料通話アプリを使うときのルールを決める

いちばん
知ってほしいルール

さあ、これが最後の100番目のルール。最後になってしまったけれど、アナタ自身にとっていちばんだいじなルールだよ。

100番目のルールは「幸せに生きる」ということ。ちょっとあたりまえすぎるかな？ でも、いつも幸せだと感じていることなんて、だれにもできない。先生や家の人にしかられることだってある。友だちとケンカすることだってある。仲のよい友だちが転校して、お別れしなければならないことだってあるだろう？

だけど、いつまでもそのことばかりを考えていてはいけないんだ。**怒りがおさまらなくても、悲しくても、そこからかならず立ち直ろう。立ち直る力が、アナタにはある。それが、「幸せに生きる力」なんだよ。**

不幸せからいつまでも立ち直れないでいると、また新しい不幸せをまねきよせてしまうもの。たとえば、友だちのことでムカついていたら、弟の笑い声が急にかんにさわって、ついポカリ。弟は怒って大泣きするし、お母さんからはしかられるし、こんなのはいやだよね。

時がたてば怒りはしずまるし、悲しみはうすれる。それまではじっとがまんしよう。これが、「幸せな自分」と再会する極意だよ。

いちばんいけないのは、やけになることと、「どうせ自分なんか」といじけてしまうこと。どんなにつらくても、この2つはルール違反。やけになっているときもいじけているときも、アナタは自分の値打ちをわすれてしまっているんだからね。アナタが生きていることは、それだけでとてもすばらしいことだよ。

自分をたいせつにして「幸せに生きる」こと。それが何よりもだいじなルールだよ。わすれないで！

ルール 100　幸せに生きる

おわりに

家族のルールわかったかな？

家族のルールには2種類(しゅるい)あります。ひとつは、社会のルールと同じように、家族に迷惑(めいわく)をかけないように気をつけ合うルール。ただ、家族は世界中でいちばん親しい、安心できる人たちだから、迷惑(めいわく)をかけたりかけられたりは、しかたがないところもあると思います。

もうひとつは、それぞれの家で、家族みんなで作るルール。家の仕事の役割(やくわり)ぶんたんや、テレビを見る時間のこと。これは、アナタもルール作りに参加(さんか)して、なっとくできるまで話し合うといいですね。一度決めたルールでも、事情(じじょう)が変(か)わったときは、またみんなで話し合えばいいのです。

家族とくらす家庭という場は、広い社会のことを勉強して、練習する場でもあります。家庭でルールをたいせつにできたら、これから先、社会に出てもきっとうまくやっていけるはずです。家族のルールは、人と人が仲(なか)よくくらすためのきほんのルールだからです。

10歳(さい)からのルールを考える会

新・10歳からのルール100
③家族のルール

2016年12月21日　初版第1刷発行
2019年 2月25日　　　第2刷発行

編集　10歳からのルールを考える会
編集協力　志村裕加子（足立区立千寿常東小学校教諭）
制作　株式会社　凱風企画
制作協力　八木彩香（フリーライター）
イラスト　しんざきゆき

発行者　西村保彦
発行所　鈴木出版株式会社
〒101-0051　東京都千代田区神田神保町3-5 住友不動産九段下ビル9F
電話　03-6774-8811
FAX　03-6774-8819
振替　00110-0-34090
ホームページ　http://www.suzuki-syuppan.co.jp/
印刷　株式会社ウイル・コーポレーション

ISBN978-4-7902-3321-3　C8037
Published by Suzuki Publishing Co.,Ltd.
Printed in Japan
NDC370/39P/28.3×21.5cm

新・10歳からの ルール100

③家族のルール

69 きょうだいや親の物を勝手にいじらない

70 家に来たお客さんにはあいさつをする

71 家族でも、何かしてもらったらお礼をいう

72 家族でも、まちがったときはあやまる

73 家族でもあいさつをする

74 出かけるときは、行き先と帰る時間を伝える

75 帰りが予定より遅くなりそうなときは連絡する

76 知らない人からの電話で、家族の情報を話さない

77 ドアホンが鳴っても、すぐにドアをあけない

78 家族の中でのことを外でいいふらさない

79 緊急時の避難先と連絡方法を決めておく

80 家の手伝いをする

81 おたがいに思いやりを持ってくらす

82 おこづかいは計画的に使う

83 物をたいせつにする

84 やりっぱなしにしない

85 早寝早起きをする

86 感謝して「いただきます」「ごちそうさま」をいう

87 寝る前に明日の準備をする

88 勉強中、食事中はケータイ・スマホをいじらない

89 まったく知らない人からのメール・メッセージは無視する

90 よくわからない人からのメール・メッセージは親に相談する

91 ゲーム機や音楽プレーヤーを勝手にインターネットに接続しない

92 家族でもケータイ・スマホや手紙を勝手に見ない

93 インターネットでお金を使うときは、親に相談する

94 親のクレジットカードを勝手に使わない

95 オンラインゲーム内で支払いが発生するときは、親に相談する

96 アプリをインストールするときは親に相談する

97 SNSのアカウントの管理は親にしてもらう

98 インターネットで知り合った人と会いたいときは、親に相談する

99 インターネットや無料通話アプリを使うときのルールを決める

100 幸せに生きる

新・10歳からの ルール100

①友だち・学校のルール
ルール1-35がのっています。

②社会のルール
ルール36-68がのっています。